Saveurs
des régions
de France

BRETAGNE

33 recettes et les astuces pratiques
des Cercles Culinaires

Saveurs des régions de France vous invite à un voyage au cœur de nos terroirs gourmands. La variété des sols, des paysages, des conditions climatiques, des savoir-faire traduit l'originalité de la France dans sa diversité d'élevages et de cultures. Cette richesse alimentaire nourrit notre patrimoine culinaire. Dans cet ouvrage, celui-ci s'adapte facilement aux pratiques culinaires actuelles.

Le parti pris est de vous faire (re)découvrir une sélection de produits et de spécialités régionales dans une cuisine revisitée, contemporaine et savoureuse.
Avec les Cercles Culinaires du Cidil, nous vous avons concocté 6 entrées, 16 plats et 11 desserts accessibles à toutes les bourses et à tous les cuisiniers !

Pour en savoir plus, les 33 recettes sont accompagnées de conseils bien-être et d'astuces culinaires. A vous de combiner vos menus au fil des saisons et selon vos envies. Mais surtout, prenez plaisir à faire vous-même et à déguster ensemble !
Là est l'essentiel.

Freddy THIBURCE
Directeur du Cercle Culinaire de Rennes

Saveurs
des régions
de France

BRETAGNE

33 recettes et les astuces pratiques
des Cercles Culinaires

Photographies - stylisme culinaire
Claude Herlédan et Cercle Culinaire de Rennes

Editions OUEST-FRANCE

Boudin noir pané sur lit de mesclun aux noix

4 tranches de lard fumé, 30 g de beurre demi-sel, 16 cerneaux de noix, 160 g de boudin noir, 80 g de mesclun, 1 petite tomate, 1 œuf, 1 cuil. à café d'huile de tournesol, 50 g de farine blanche, 100 g de chapelure, 30 cl d'huile de friture
vinaigrette : 1 cuil. à soupe de vinaigre de cidre, 3 cuil. à soupe d'huile de pépins de raisin, 1 cuil. à soupe de moutarde à l'ancienne, 1 cuil. à soupe de persil plat, sel, poivre

■ Saisir les tranches de lard dans le beurre bien chaud. Les déposer sur du papier absorbant.

Préparer les boudins panés. Retirer le boyau du boudin noir. Le couper en rondelles de 1,5 cm d'épaisseur. Casser l'œuf. Le battre dans un peu d'huile. Saler et poivrer. Façonner les rondelles de boudin en boulettes. Les rouler dans la farine, puis dans l'œuf battu, enfin dans la chapelure **(1)**. Réserver les boudins panés **(2)**.

Préparer la sauce vinaigrette. Mélanger le sel, le poivre, le vinaigre. Ajouter la moutarde et l'huile de pépins de raisin. Mélanger. Incorporer le persil haché. Plonger les boulettes de boudin dans une friteuse où l'huile est à 180 °C. Les laisser légèrement dorer **(3)**.

■ Trier, laver, égoutter le mesclun. Laver la tomate. La couper en dés.

■ Sur chaque assiette, déposer les boulettes de boudin, le mesclun accompagné d'une tranche de lard. Parsemer de dés de tomate et de cerneaux de noix. Verser un filet de vinaigrette. Servir aussitôt.

bien-être

Le boudin noir est une des charcuteries les plus riches en graisse mais aussi la plus riche en fer. Il est donc recommandé d'en consommer dans les cas d'anémie due à une carence en fer.

astuce culinaire

Bien rouler et fariner le boudin afin qu'il ne se défasse pas pendant la cuisson. Le servir bien chaud. Il peut aussi être réchauffé.

le saviez-vous ?

Créé par une cuisinière de la Grèce antique, le boudin noir est une des plus anciennes charcuteries connues.

côté cave
Cidre fermier

1
2
3

Crème de chou-fleur aux moules de bouchot

marinière : 500 g de moules de bouchot, 1 échalote, 5 cl de vin blanc sec, 25 g de beurre, poivre, 1 pincée de safran
crème : 250 g de chou-fleur, 15 cl de lait, 25 cl de bouillon de volaille, 2 cuil. à soupe de crème fraîche, 1 pincée de cumin, gros sel

Préparer la crème de chou-fleur. Laver le chou-fleur. Le détailler en bouquets **(1)**.
■ Déposer les bouquets dans le lait. Recouvrir avec du bouillon de volaille. Saler légèrement au gros sel. Cuire 20 min **(2)**.
■ Mixer le chou cuit avec la crème et le cumin. Verser dans une casserole. Porter à ébullition. Laisser bouillir 2 min. Retirer du feu.

Préparer les moules marinières. Gratter et laver les moules. Eplucher et ciseler l'échalote. Dans une grande casserole, faire fondre le beurre. Faire suer l'échalote. Ajouter le vin blanc et la pincée de safran. Saler et poivrer. Laisser réduire jusqu'à ce que l'alcool soit évaporé. Jeter les moules dans la marinière. Mélanger. Retirer du feu dès que toutes les moules sont ouvertes **(3)**.
■ Réchauffer la crème de chou-fleur. Décoquiller les moules.
■ Dans des assiettes creuses préalablement chauffées, verser deux louches de crème de chou-fleur très chaude. Disposer harmonieusement quelques moules.

bien-être

Peu calorique, riche en vitamines et en minéraux, gorgé de fibres, le chou-fleur peut être consommé sans modération. Le blanchir pour éviter d'éventuelles brûlures digestives.

astuce culinaire

Si vous utilisez un bouillon cube, ne salez pas la crème de chou-fleur.

le saviez-vous ?

La technique du bouchot consiste à élever les naissains (petites moules de 1 cm) maintenus par un filet sur un pieu de bois. Les deux grandes régions productrices sont la Bretagne et la Basse-Normandie, en particulier dans toute la baie du Mont-Saint-Michel.

Langoustines au beurre d'oranges

16 belles langoustines, 15 g de beurre demi-sel, 1 cuil. à soupe d'huile d'olive, 2 oranges, poivre de Sechuan
fumet : 16 têtes de langoustines, 32 pinces de langoustines, 1/2 oignon, 1/2 poireau, 1 cuil. à café de concentré de tomates, 1 bouquet garni (vert de poireau, persil, thym, laurier), le zeste des 2 oranges, 15 g de beurre, 1 cuil. à soupe d'huile d'olive
beurre d'oranges : 20 cl de fumet de langoustines, 2 oranges, 100 g de beurre doux, 1 clou de girofle, 1 dose de safran, sel, poivre

■ Décortiquer à cru la tête des queues de langoustines. Casser les pinces **(1)**. Garder les têtes et les pinces pour le fumet. Réserver les queues au réfrigérateur.

Préparer le fumet. Laver les légumes et les aromates. Emincer l'oignon et le poireau. Prélever les zestes des deux oranges. Les blanchir 2 min à l'eau bouillante.
■ Faire colorer à feu vif les têtes et les pinces de langoustines dans le beurre et l'huile d'olive. Baisser le feu. Ajouter l'oignon, le poireau. Mélanger. Verser de l'eau jusqu'à hauteur. Ajouter le concentré de tomates, le bouquet garni et les zestes d'oranges. Cuire à petite ébullition 25 min **(2)**. Filtrer dans une passoire fine.

Préparer le beurre d'oranges. Peler une orange. Retirer la peau blanche. Prélever les quartiers. Les couper en morceaux. Presser le jus de la seconde orange. Le verser dans une casserole. Ajouter le fumet, le clou de girofle et le safran. Porter à ébullition.
■ Faire réduire de moitié. Réserver. Incorporer petit à petit le beurre coupé en morceaux **(3)**. Vérifier l'assaisonnement.
■ Saisir les queues de langoustines 1 min de chaque côté dans 15 g de beurre. Assaisonner de poivre de Sechuan moulu.
■ Dresser en harmonie les queues de langoustines, les morceaux d'oranges, un cordon de beurre d'oranges. Poser quelques grains de poivre de Sechuan.

bien-être

Dans ce plat, l'association de la langoustine, riche en protéines et en magnésium, avec l'orange, source de vitamine C, vous donnera tonus et énergie.

astuce culinaire

Pour garantir la tendreté et la qualité de la chair, la langoustine ne doit jamais cuire longtemps. Vous pouvez réaliser la recette avec des langoustines glacées qui se décortiqueront plus facilement que la vivante.

le saviez-vous ?

Le poivre de Sechuan est originaire de Chine. Chaque grain se compose d'une enveloppe extérieure de couleur rouge, très aromatique et d'un noyau noir, plus amer.

Sancerre blanc

1
2
3

Croustillant d'andouille de Guéméné-sur-Scorff

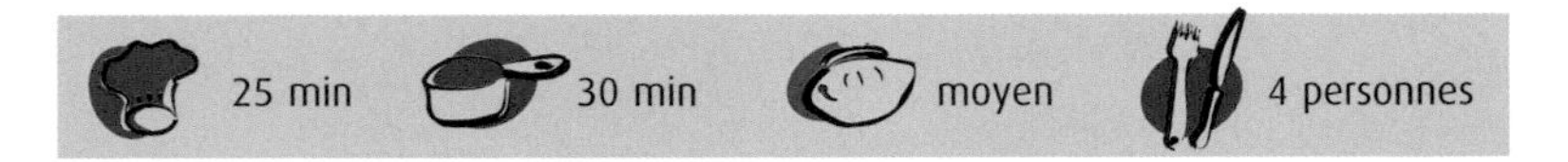

18 rondelles d'andouille de Guémené, 1 feuille de brick, 1 jaune d'œuf, 40 g de mesclun, 4 pommes de terre Charlotte
marinière : 300 g de moules de bouchot, 1 branche de persil plat, 30 g de beurre demi-sel, 15 cl de vin blanc sec, 1 échalote, 1 cuil. à soupe de vinaigre de cidre, 1 cuil. à soupe de moutarde à l'ancienne, 3 cuil. à soupe d'huile de pépins de raisin, gros sel, sel, poivre

■ Laver le mesclun. Laver et équeuter le persil. Ciseler l'échalote.
■ Laver et gratter les moules. Ouvrir les moules à la marinière (cf. crème de chou-fleur, page 6). Laisser refroidir et décoquiller. Garder le jus de cuisson.
■ Eplucher, laver les pommes de terre. Les cuire à l'eau salée au gros sel. Les garder au chaud.
■ Mélanger le vinaigre, le sel et le poivre. Ajouter la moutarde et l'huile. Mélanger **(1)**.

Préparer les croustillants. Préchauffer le four à 220 °C (th. 7). Faire fondre 10 g de beurre. Couper quatre triangles dans la feuille de brick. Les badigeonner de beurre fondu **(2)**. Dans chaque triangle, envelopper une rondelle d'andouille coupée en deux. Badigeonner au jaune d'œuf les bords des feuilles de brick. Fermer **(3)**. Passer les croustillants au four 3 à 4 min. Tiédir à four chaud les tranches d'andouilles restantes.
■ Couper les pommes de terre en deux dans le sens de la longueur. Les creuser au centre pour former un petit nid.
■ Dresser chaque assiette. Disposer le mesclun. Assaisonner de vinaigrette. Placer les pommes de terre. Les garnir de moules. Déposer le croustillant et les tranches d'andouille. Servir aussitôt.

bien-être

Les andouilles contiennent environ 220 kcal/100 g. Cette entrée complète peut être servie en plat unique, suivi d'une assiette de fromages et de fruits.

astuce culinaire

Pour faciliter le pliage, penser à badigeonner chaque feuille de brick avec un peu de beurre fondu.

le saviez-vous ?

Ce sont les gros intestins de porc, appelés chaudins, qui, enfilés les uns sur les autres avant d'être fumés, font de l'andouille de Guémené une charcuterie très puissante en goût. Une fois cuite, on peut la conserver 3 à 4 semaines.

1

2

3

Huîtres en gelée aux trois saveurs

24 huîtres creuses n° 3, 15 cl de vinaigre de vin blanc, poivre concassé, 150 g d'échalotes, 300 g d'épinards frais, 50 g de beurre, 250 g de salicornes au vinaigre, 10 cl de vin blanc sec, 6 feuilles de gélatine

■ Laver les huîtres. Couvrir le fond d'une casserole d'un peu d'eau et de vinaigre. Chauffer. Déposer les huîtres. Les ouvrir à feu vif et à couvert 2 à 3 min **(1)**. Réserver. Ajouter quelques grains de poivre concassé. Laisser infuser.

■ Eplucher et ciseler les échalotes. Les faire suer dans 30 g de beurre 2 à 3 min. Réserver.

■ Laver et équeuter les épinards. Bien les sécher sur un linge. Les cuire à feu vif avec le beurre restant pendant 2 min. Ils doivent rester fermes. Retirer du feu. Assaisonner. Verser un filet de vinaigre. Réserver au froid.

■ Egoutter les salicornes. Les réserver au frais dans un fond de vin blanc.

Préparer les huîtres en gelée. Ramollir les feuilles de gélatine dans l'eau froide. Retirer les huîtres du jus de cuisson. Les décoquiller. Les déposer sur un linge. Les réserver au froid. Filtrer le jus d'huîtres. Le verser dans une casserole. Ajouter le reste du vin blanc et un trait de vinaigre. Faire chauffer à feu doux. Incorporer la gélatine. Au premier bouillon, retirer du feu. Transvaser la gelée dans un saladier déposé sur de la glace pour la refroidir rapidement.

■ Dans le fond de chaque coquille, répartir un peu d'échalotes. Déposer l'huître. Recouvrir de gelée **(2)**. Remettre au froid 5 min. Ajouter les épinards et les salicornes égouttés. Parsemer de poivre. Couvrir avec le reste de gelée **(3)**.

■ Verser une couche de gros sel dans le fond d'un plat. Y caler les huîtres. Réserver au réfrigérateur. Servir bien frais.

bien-être

Une recette aussi fraîche que légère, pleine de saveurs iodées qui conjugue plaisir et santé. L'huître, excellente source de minéraux et de vitamines, est très peu calorique, environ 70 cal/100 g. La salicorne est aussi gorgée de sels minéraux. A servir avec un pain de seigle ou un pain complet.

astuce culinaire

Les huîtres se conservent une dizaine de jours dans le bac à légumes de votre réfrigérateur. Les maintenir bien serrées dans leur bourriche pour les empêcher de bâiller.

le saviez-vous ?

La salicorne ou « corne salée » est une plante sauvage. Elle pousse sur les plages et dans les marais salants sur les côtes de la Manche et de l'Atlantique. Elle se récolte à la main au début de l'été.

côté cave
Champagne

Cocotte terre et mer au beurre de blé noir

4 praires, 4 palourdes, 50 g de beurre, 4 galettes de blé noir, 30 g de beurre demi-sel, 40 g de beurre aux algues, 500 g de lard frais demi-sel, 1 oignon, 1 carotte, 1 branche de céleri, 25 g de gingembre, 3 bâtons de citronnelle, 1 cuil. à café de coriandre en grains, 1 cuil. à café de poivre en grains
beurre composé au blé noir : 100 g de beurre, 50 g de farine de blé noir, 1 cuil. à soupe de graines de sarrasin
lut : 250 g de farine, 80 g d'eau, 50 g de beurre, 1 pincée de sel

■ Laver les coquillages. Les faire dégorger une heure dans l'eau salée.
■ Blanchir le lard 10 min. L'égoutter. Le rafraîchir sous l'eau froide. Réserver.
■ Laver les légumes. Les éplucher. Les émincer. Dans un faitout, déposer les légumes et le lard blanchi. Laisser mijoter 1 h 30 à 2 h les aromates **(1)**. Retirer le lard. L'égoutter.

Préparer le beurre au blé noir. Torréfier les grains de sarrasin en les passant sous le grill du four quelques minutes. Travailler le beurre en pommade. Ajouter la farine de blé noir et quelques grains de sarrasin. Mélanger **(2)**.

Réaliser le lut. Mélanger tous les ingrédients. Pétrir jusqu'à obtenir une pâte bien élastique. Rouler en un boudin épais.

Préparer la cocotte paysanne. Préchauffer le four à 230 °C (th. 7-8). Faire fondre le beurre. Y colorer le lard. Déglacer à l'eau. Faire réduire. Ajouter le beurre de blé noir, les coquillages. Mettre le couvercle. Poser le lut tout autour entre le couvercle et le bord pour obtenir une cuisson totalement hermétique **(3)**. Enfourner 10 min.
■ Casser la croûte de lut. Trancher le lard. Réchauffer chaque galette dans une poêle beurrée jusqu'à ce qu'elle soit croustillante.
■ Dans des cassolettes individuelles, déposer un morceau de lard, les coquillages, une galette. Napper légèrement de beurre aux algues juste fondu.

bien-être

C'est une entrée riche ! Ici, les produits de la terre et de la mer offrent au palais les saveurs du patrimoine culinaire breton.

astuce culinaire

Le lut est une technique de braisage en cuisine qui permet une parfaite conservation des sucs et des parfums et qui évite que l'aliment ne se dessèche à la cuisson.

Pour travailler un beurre en pommade, le sortir quelques heures du réfrigérateur avant son utilisation.

le saviez-vous ?

On donne le nom de « Kraz » à la crêpe de blé noir de Basse-Bretagne qui est plus fine et plus croustillante que celle de Haute-Bretagne.

Anjou rouge

1
2
3

Bar au beurre d'algues

4 filets de bar de 130 g chacun, 40 g de beurre salé, fleur de sel, poivre
barigoule : 8 artichauts poivrade, 1 tomate, 2 cuil. à soupe d'huile d'olive, 1 citron, 1 oignon, 2 brins de thym citron, 15 cl de vin blanc, 20 cl de bouillon de volaille, 1 tomate, sel, poivre
semoule : 1/4 de chou-fleur, gros sel, 30 g de beurre, sel, poivre
beurre aux algues : 80 g de beurre demi-sel, 2 cuil. à soupe d'algues (laitue, nori et dulse), 1 cuil. à soupe de jus de citron, 2 cuil. à soupe d'eau, poivre

■ Laver et râper le chou-fleur. Le cuire à l'eau bouillante salée au gros sel 1 min. Retirer du feu quand le chou est encore croquant. Rafraîchir sous l'eau froide. Egoutter.

Préparer la barigoule. Couper la moitié du pied des artichauts et retirer les premières feuilles jusqu'aux plus tendres. Déposer les artichauts dans l'eau citronnée. Faire suer l'oignon ciselé dans l'huile d'olive. Ajouter les artichauts coupés en quatre. Assaisonner. Cuire 4 à 5 min. Ajouter le vin blanc, un peu de bouillon et le thym citron. Poursuivre la cuisson 15 min. Ajouter la chair de la tomate épépinée et coupée en dés. Retirer le thym citron **(1)**.
■ Préchauffer le four en position grill. Placer des noix de beurre sur chaque filet de bar. Les assaisonner. Enfourner 4 à 5 min.

Préparer le beurre aux algues. Sortir le beurre du réfrigérateur 1 h à l'avance. Réhydrater les algues dans un fond d'eau et de jus de citron. Mélanger délicatement **(2)**.
■ Dans une casserole, faire chauffer deux ou trois cuillerées à soupe d'eau. Ajouter le beurre coupé en morceaux. Porter à ébullition. Fouetter et poivrer **(3)**.
■ Réchauffer à feu doux la semoule de chou-fleur dans 30 g de beurre. Assaisonner.
■ Dresser une cuillerée de semoule, une cuillerée de barigoule. Placer l'escalope de bar. Napper d'un cordon de beurre aux algues.

bien-être

Alliance terre et mer pour cette recette riche en vitamines, minéraux, oligo-éléments qui renforcent le système immunitaire. Le seul apport en graisse est celui du beurre mais qui, dans une quantité raisonnable, répond aux besoins d'un bon équilibre alimentaire.

astuce culinaire

Le chou-fleur peut être râpé dans un robot, puis blanchi dans du lait pour préserver sa blancheur.

Sancerre blanc

1

2

3

Méli-mélo de pommes et boudin noir

400 g de boudin noir, 700 g de pommes de terre bintje, 3 pommes elstar ou reinettes, 2 échalotes, 60 g de beurre, 4 cuil. à soupe de chapelure, 1 pincée de cannelle, gros sel, sel, poivre

■ Laver et cuire les pommes de terre dans l'eau salée 15 à 20 min en les gardant légèrement fermes. Les égoutter. Les éplucher. Les râper.

■ Ciseler les échalotes. Eplucher les pommes. Les couper en dés de 1 cm **(1)**.

■ Retirer le boyau du boudin. Le découper en morceaux.

■ Faire fondre le beurre dans une poêle. Faire revenir les pommes, puis les morceaux de boudin 4 à 5 min. Ajouter les échalotes. Saler, poivrer **(2)**.

■ Préchauffer le four à 220 °C (th. 7-8).

■ Sur une plaque du four, déposer 4 cercles en inox. Y répartir le mélange de pommes et de boudin. Tasser. Démouler. Répartir dessus les pommes de terre râpées **(3)**.

■ Assaisonner. Saupoudrer de chapelure. Ajouter une noix de beurre. Cuire au four 10 min.

■ Démouler. Servir dans des assiettes individuelles. Saupoudrer légèrement de cannelle.

bien-être

Accompagnez ce plat d'une salade fraîche avec une vinaigrette légère au vinaigre de cidre.

astuce culinaire

Le cercle à pâtisserie est un ustensile pratique à utiliser qui offre un démoulage facile et permet de varier les présentations.

Cette préparation peut être réalisée dans un plat gratin. Dans ce cas, verser un mélange de crème et de lait. Poursuivre la recette et enfourner 15 à 20 minutes.

côté cave
Côte roannaise

1

2

3

Quasi de veau braisé au lait, purée à l'ancienne

600 g de quasi de veau, 30 cl de lait, 2 gousses d'ail en chemise, 1 échalote, 10 g de beurre, 1 cl d'huile
purée : 700 g de pommes de terre, 40 cl de crème liquide, 10 g de beurre, 1 cuil. à soupe de ciboulette, gros sel, sel, poivre

Préparer la purée. Eplucher et laver les pommes de terre. Les cuire à l'eau salée au gros sel jusqu'à ce qu'elles s'écrasent. Déposer les pommes de terre dans un saladier. Les écraser à la fourchette. Ajouter la crème et le beurre. Assaisonner. Réserver **(1)**.

Préparer le quasi de veau. Porter le lait à ébullition. Ajouter l'ail en chemise, l'échalote épluchée. Laisser infuser 10 min.
■ Préchauffer le four à 200 °C (th. 7). Dans une poêle, faire chauffer le beurre et l'huile. Y saisir la viande sur toutes ses faces. La laisser reposer 10 à 15 min **(2)**. Assaisonner. Mettre le quasi de veau dans un plat. Mouiller avec l'infusion de lait. Enfourner 30 à 35 min **(3)**. Filtrer le jus de cuisson. Dans une casserole, faire réduire jusqu'à obtenir une sauce onctueuse. Saler et poivrer.
■ Trancher le quasi de veau. Napper de sauce. Servir avec la purée à l'ancienne.

astuce culinaire

Pour obtenir une sauce plus homogène et plus onctueuse, ajouter de la crème liquide dans le lait lors de la réduction.

le saviez-vous ?

La cuisson du veau dans le lait apporte moelleux et tendreté à la viande.

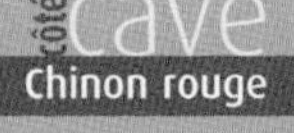

Chinon rouge

Cassolette bretonne

300 g de filet de cabillaud, 12 crevettes roses, 20 g de beurre, 800 g d'épinards, muscade, sel, poivre
marinière : 200 g de moules, 200 g de coques, 5 cl de vin blanc, 1 échalote, 20 g de beurre, poivre
coulis de crustacés : 4 étrilles, 1 oignon de Roscoff, 1/2 carotte, 1 gousse d'ail, 1 bouquet garni (1 vert de poireaux, 4 queues de persil, 1 branche de thym, 2 feuilles de laurier), 5 cl de vin blanc, 1/2 cuil. à soupe de concentré de tomates, 15 g de beurre, 2 cl d'huile d'olive, 2 cl de cognac, 1 litre d'eau

Préparer la marinière. Gratter, laver les moules. Faire dégorger les coques 1 h dans l'eau salée. Ouvrir à la marinière (cf. crème de chou-fleur page 6). Les décoquiller. Filtrer le jus.

Préparer le coulis de crustacés. Décortiquer les crevettes. Réserver les carapaces. Eplucher et tailler les légumes en morceaux **(1)**. Les faire revenir dans le beurre et l'huile. Ajouter les carapaces de crevettes et les étrilles **(2)**. Flamber au cognac. Déglacer au vin blanc. Mouiller avec 1 litre d'eau et le jus des coquillages. Ajouter le bouquet garni, l'ail, le concentré de tomates. Laisser mijoter environ 1 h 30 **(3)**. Passer la sauce. La faire réduire quelques minutes et incorporer le beurre restant. Assaisonner.
■ Equeuter et laver les épinards. Les faire fondre dans le beurre. Assaisonner.

Préparer le cabillaud. Préchauffer le four à 200 °C (th. 7). Déposer le filet de cabillaud sur une plaque beurrée. Assaisonner. Mettre au four. Cuire 10 min.
■ Dans une cassolette ou une assiette creuse, déposer les épinards. Ajouter les fruits de mer, le filet de cabillaud. Napper de coulis.

bien-être

Aliments fragiles, achetez vos crustacés vivants et votre poisson très frais. C'est une garantie de bonne assimilation dans l'organisme.

astuce culinaire

Les crevettes se décortiquent en arrachant d'abord la tête puis en soulevant les anneaux de l'abdomen. Vous pouvez préparer une quantité plus importante de coulis. Vous congèlerez le surplus dans des bacs à glaçons. A utiliser pour des fonds de sauces et des soupes.

côté cave

Muscadet sur lie

Lieu jaune

4 pavés de lieu jaune avec peau de 140 g chacun, 100 g de beurre, 1 branche de persil, sel, poivre, fleur de sel
jus de volaille : 25 cl de cidre, 2 oignons, 2 carottes, 20 cl de jus de volaille
écrasée de pommes de terre : 800 g de pommes de terre bintje, 4 brins de ciboulette, 50 g de beurre demi-sel

Clarifier le beurre. Couper le beurre en morceaux. Dans une casserole, mettre de l'eau à chauffer. Déposer le beurre dans un saladier. Le faire fondre lentement au bain-marie. Laisser reposer. Retirer la mousse en surface. Filtrer le beurre en veillant à ce que le petit lait reste au fond.
■ Détailler les oignons et les carottes en cubes de 5 mm. Mélanger le tout.

Préparer le lieu. Préchauffer le four à 200 °C (th. 7). Dans une poêle bien chaude, déposer 30 g de beurre clarifié. Faire dorer le poisson côté peau **(1)**. Ajouter les oignons et les carottes. Assaisonner. Passer au four entre 8 et 10 min **(2)**. Déposer le lieu jaune sur une assiette. Réserver.

Préparer le jus de volaille. Verser le cidre sur les oignons et les carottes. Porter à ébullition jusqu'à réduction presque complète du liquide. Ajouter le jus de volaille. Maintenir l'ébullition 5 min. Filtrer le jus et le garder au chaud. Vérifier l'assaisonnement.

Préparer l'écrasée de pommes de terre. Eplucher et laver les pommes de terre. Les cuire 30 min à l'eau salée ou à la vapeur. Les écraser à la fourchette en incorporant la ciboulette ciselée et 30 g de beurre demi-sel **(3)**. Assaisonner.
■ Sur chaque assiette, déposer un filet de poisson, l'écrasée de pomme de terre, un cordon de sauce. Parsemer de fleur de sel. Ajouter une noisette de beurre frais sur la purée. Servir aussitôt.

astuce culinaire

La clarification consiste à débarrasser le beurre de son eau et de sa matière sèche non grasse. Le beurre clarifié se conserve un mois au réfrigérateur dans un récipient hermétique. Il supporte la cuisson à très haute température.

le saviez-vous ?

Le beurre contient 82 % de matières grasses, 16 % d'eau et 2 % de matière sèche.

Anjou blanc

1
2
3

Goujonnettes de soles et artichauts de Saint-Pol

8 filets de sole, 60 g de beurre demi-sel, 1 cuil. à soupe d'huile d'olive 4 artichauts, 1 citron, gros sel, fleur de sel, sel, poivre
émulsion d'orange : 1 orange, 3 cuil. à soupe d'huile d'olive, sel, poivre

Préparer les artichauts. Casser la tige, retirer les feuilles pour arriver jusqu'au fond. Réserver quelques petites feuilles pour le décor. Oter le foin à l'aide d'une petite cuillère.
■ Les plonger dans de l'eau bouillante salée au gros sel et citronnée **(1)**. Cuire environ 5 min. Egoutter et refroidir. Couper les fonds en lamelles.

Préparer l'émulsion d'orange. Prélever les zestes de l'orange. Les blanchir à l'eau à trois reprises. Rafraîchir.
■ Les couper en fine julienne **(2)**. Presser l'orange. Faire réduire le jus d'un quart à feu doux. Laisser refroidir. Assaisonner. Ajouter trois cuillerées à soupe d'huile d'olive. Emulsionner. Ajouter les zestes. Réserver.

Préparer les goujonnettes. Couper les filets de soles en lamelles obliques de 1,5 cm. Dans une poêle, faire fondre 30 g de beurre. Saisir les lamelles d'artichauts à feu vif 2 à 3 min.
■ Assaisonner. Retirer de la poêle et réserver au chaud.
■ Ajouter le reste de beurre et l'huile d'olive. Saisir les goujonnettes rapidement à feu vif. Les retourner délicatement. Assaisonner **(3)**.
■ Dresser à l'assiette. Placer les artichauts. Ajouter les soles. Napper d'émulsion d'orange. Parsemer de fleur de sel. Décorer de feuilles d'artichaut cru.

bien-être

L'artichaut est essentiel au bon fonctionnement de l'organisme. On lui prête quantité de vertus sur l'équilibre du système digestif, pour désintoxiquer l'organisme, fortifier le système immunitaire. Aucune raison de s'en priver.

astuce culinaire

Il est possible de réaliser la recette avec des fonds d'artichauts surgelés.

Côte de Gascogne blanc

1
2
3

bien-être

La viande de porc est riche en protéines, en fer et en vitamines du groupe B, notamment en vitamine B1, nécessaire au bon fonctionnement du système nerveux. Tendre et goûteuse, l'échine de porc peut être grillée, sans autre apport de matière grasse.

astuce culinaire

Pour bien choisir l'échine de porc, la chair doit être blanc rosé et la graisse ferme et blanche. On ne sale les légumes qu'à ébullition sinon le gros sel a pour effet de la retarder.

le saviez-vous ?

La production porcine bretonne est surtout localisée sur les départements du Finistère et des Côtes-d'Armor.

Cidre fernier brut

Echine de porc au cidre

4 échines de porc de 160 g chacune, 20 g de beurre, 1 cuil. à soupe d'huile, 1 échalote, 1 oignon, 1/2 carotte, sel, poivre
purée : 1 céleri boule, 3 pommes reinettes, 1/2 citron, 5 cl de crème liquide, sel, poivre
jus : 15 cl de cidre, 10 cl de bouillon de volaille, gros sel

Préparer les légumes. Eplucher, laver et émincer l'oignon, l'échalote, la carotte **(1)**.

Préparer la purée. Eplucher et laver les pommes et le céleri. Les citronner. Cuire à l'eau bouillante salée jusqu'à ce qu'ils s'écrasent. Les mouliner. Verser la crème **(2)**.

■ Assaisonner. Réserver au chaud.

Cuire la viande. Saisir l'échine dans le beurre et l'huile quelques minutes. Assaisonner. Ajouter les légumes émincés. **(3)**. Verser le cidre et le bouillon de volaille. Faire réduire jusqu'à ce que le jus épaississe. Assaisonner.

■ Sur assiette chaude, dresser la viande avec quelques légumes émincés et la purée.

1
2
3

Frigousse de volaille du pays de Redon

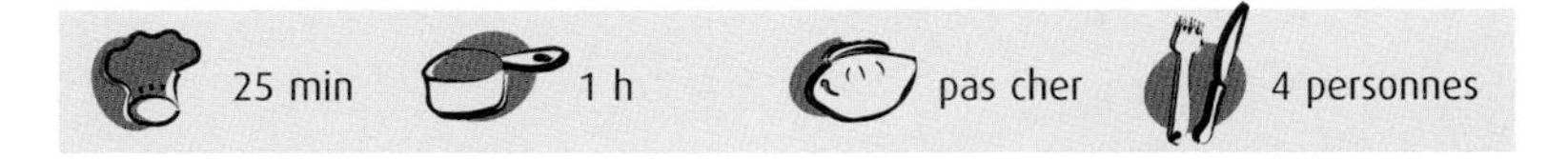

1 poulet de 1,6 kg, 2 oignons, 100 g de poitrine fumée (tranche épaisse), 30 g de beurre, 2 cl d'huile, 75 cl de cidre brut, 5 cl d'eau-de-vie de cidre, 350 g de châtaignes cuites, 1 bouquet garni (persil, thym, laurier), muscade, cardamome, sel, poivre, fécule (facultatif)

- Détailler la poitrine en lardons. Couper le poulet en morceaux **(1)**.
- Dans une cocotte, faire dorer les morceaux de volaille dans le beurre et l'huile. Assaisonner.
- Eplucher et émincer les oignons. Préparer le bouquet garni **(2)**.
- Retirer la viande. Déglacer la cocotte avec l'eau-de-vie. Y faire suer les oignons. Ajouter les lardons
- Remettre la viande. Mouiller avec le cidre **(3)**. Ajouter le bouquet garni, les épices. Cuire à couvert 40 min.
- Quinze minutes avant la fin de la cuisson, ajouter les châtaignes. Si besoin, lier avec un peu de fécule.
- Présenter en cocotte directement sur la table.

astuce culinaire

Pour une meilleure tenue à la cuisson et obtenir une viande plus goûteuse, laisser les os de la carcasse sur les blancs de poulet. Les retirer juste avant de servir.

le saviez-vous ?

Frigousse veut dire « mijoter » en langue gallèse. Typique du pays de Rennes, ce plat, que l'on suppose très ancien, a été réinventé par la confrérie du Grand Ordre de la Frigousse basée à Rennes. La Frigousse, fricassée de bonne chère, peut être réalisée avec d'autres viandes (pigeon, pintade, canard, bœuf, porc).

côté cave

Côtes du Forez rouge

1
2
3

Noix de Saint-Jacques, embeurrée de chou

16 noix de Saint-Jacques, 20 g de beurre demi-sel, 2 cuil. à soupe de graines de sésame, fleur de sel, poivre
beurre d'orange : 25 cl de jus d'orange, 2 clous de girofle, 3 ou 4 pistils de safran, 40 g de beurre doux, sel, poivre
embeurrée : 1/2 chou vert, 100 g de beurre demi-sel, 8 gousses d'ail, gros sel, sel, poivre

■ Rincer les noix. Les réserver.

Préparer l'embeurrée de chou. Laver le chou. Retirer le trognon et les feuilles abîmées. Tailler les feuilles en lanières **(1)**. Les blanchir 10 min dans l'eau bouillante salée au gros sel. Les égoutter. Les rafraîchir sous l'eau froide.
■ Laver les gousses l'ail. Ne pas les éplucher. Dans une poêle, faire fondre 30 g de beurre doux. Déposer les gousses et les confire à feu doux 30 à 45 min selon leur grosseur **(2)**. Mélanger pour qu'elles ne brûlent pas.
■ Faire fondre le beurre. Ajouter le chou et les gousses d'ail confites. Assaisonner. Cuire à feu doux et à couver 15 min. **(3)**.

Préparer le jus à l'orange. Verser le jus d'oranges dans une casserole. Ajouter les clous de girofle et le safran. Faire réduire jusqu'à obtenir un état sirupeux. Incorporer petit à petit le beurre bien froid coupé en morceaux. Assaisonner.

Cuire les noix de Saint-Jacques. Les saisir rapidement dans le beurre 30 à 40 secondes de chaque côté.
■ Dans une poêle, griller les graines de sésame.
■ Dans une assiette chaude, dresser un lit de chou. Parsemer de sésame grillé. Disposer les noix. Parsemer de fleur de sel. Ajouter un cordon de beurre à l'orange. Décorer de pistils de safran. Servir aussitôt.

bien-être

Très riche en vitamines et sels minéraux, ce plat équilibré apporte tous les éléments indispensables. Idéal pour affronter la rigueur de l'hiver !

astuce culinaire

Pour bien choisir un chou vert, il doit présenter un feuillage bien vert et frisé et une belle pomme bien ronde. Ses grandes feuilles peuvent servir de papillotes à un poisson ou une volaille.

le saviez-vous ?

Le chou vert fait partie des plus anciens légumes cultivés et consommés. Dès l'Antiquité, les Grecs lui prêtaient des vertus contre la mélancolie. Il est présent dans tous les potagers de l'histoire des jardins et du patrimoine culinaire.

Anjou blanc

1
2
3

Saumon au jus de coques

4 pavés de saumon de 120 g chacun, 300 g de haricots cocos de Paimpol, 1 oignon, 1 clou de girofle, 1 carotte, 1 bouquet garni, gros sel, 4 lanières de poireaux, 4 petites branches de romarin, 1 citron vert, 80 g de beurre doux, 1 cuil. à soupe de feuille de coriandre
marinière : 12 coques, 1 verre de vin blanc sec, 2 échalotes, 30 g de beurre, poivre

Préparation des cocos. Ecosser les cocos. Les plonger dans l'eau froide non salée. Ajouter l'oignon piqué d'un clou de girofle, la carotte coupée en dés et le bouquet garni. Saler aux trois quarts de la cuisson. Cuire à frémissement 30 min **(1)**. Réserver.

Préparation de la marinière. Laver les coques. Les faire dégorger 1 h dans l'eau salée. Dans une casserole, faire fondre 30 g de beurre et les échalotes. Verser le vin blanc. Porter à ébullition Ajouter les coques. Poivrer. Couvrir et cuire à feu vif pour les ouvrir.
■ Retirer les coques. Filtrer et conserver le jus de cuisson. Le porter à ébullition. Couper le beurre en morceaux. L'incorporer petit à petit en fouettant. Hors du feu, incorporer les coques, les cocos et les feuilles de coriandre. Mélanger délicatement. Laisser infuser hors du feu.

Préparation du saumon. Couper les pavés en deux dans le sens de la longueur. Découper 4 lanières de poireaux. Les blanchir à l'eau bouillante salée, les refroidir à l'eau glacée **(2)**. Entourer chaque pavé à la manière d'un tournedos **(3)**. Piquer le saumon d'une branche de romarin. Prélever un zeste de citron vert. Le tailler en petits dés. Parsemer sur chaque pavé. Réserver au frais.
■ Préchauffer le four à 100 °C (th. 2). Beurrer une plaque à four. Disposer le saumon. Cuire 10 min au four.
■ Répartir les cocos dans le fond de chaque assiette et poser le saumon moelleux. Ajouter le jus de coques.

bien-être

Le saumon apporte 200 cal/100 g et les haricots cocos apportent 300 cal/100 g. Cette recette étant riche et nourrissante, on servira en dessert un fromage blanc battu ou en faisselle, accompagné d'un coulis de fruits.

astuce culinaire

Il est recommandé de faire tremper les haricots secs, afin de réduire le temps de cuisson et d'en faciliter la digestion. Cependant, les cocos de Paimpol peuvent se passer de cette opération.

le saviez-vous ?

Le coco de Paimpol serait arrivé d'Amérique latine sur les côtes du Trégor-Goëlo dans les cales d'un navire de la Royale dans les années 1920. La récolte débute en juillet et se termine en octobre. Mais c'est surtout en août et en septembre qu'il faut courir sur les marchés pour trouver ce produit très saisonnier.

côté cave
Pouilly fumé

1
2
3

bien-être

La coquille Saint-Jacques est une source de protéines. Elle est pauvre en lipides et riche en vitamines et oligo-éléments. Leur cuisson juste saisie assure une tendreté de leur chair et la préservation de ce petit goût noisette qui fait la réputation des coquilles d'Erquy.

astuce culinaire

Pour ouvrir aisément les coquilles, les tenir quelques instants au-dessus du feu ou dans un four.

le saviez-vous ?

La baie de Saint-Brieuc est un des deux gisements de coquilles Saint-Jacques en France. Afin de préserver la ressource, c'est une pêche très réglementée autorisée sur des tranches horaires strictes : 30 min de pêche active, deux fois par semaine et de fin octobre à avril, avec une interruption en janvier.

Saint-Jacques d'Erquy

16 noix de Saint-Jacques, 12 asperges vertes, 50 g de beurre demi-sel, fleur de sel, poivre
émulsion de cardamome : 6 capsules de cardamome, 1 citron, 10 cl d'eau, 100 g de beurre demi-sel, gros sel, poivre

■ Ouvrir et décortiquer les Saint-Jacques ou le demander au poissonnier **(1)**. Les laver dans plusieurs eaux. Egoutter. Réserver au frais.
■ Couper le pied des asperges d'1 cm environ. Les peler légèrement. Les laver. Les mettre en botte et les ficeler. Les cuire dans l'eau bouillante 6 à 7 min. Les rafraîchir dans une eau glacée **(2)**. Les égoutter.

Préparer l'émulsion de cardamome. A l'aide d'un économe, prélever des zestes sur le citron. Les tailler en julienne. Les plonger dans deux ou trois eaux portées à ébullition. Les égoutter. Les rafraîchir. Presser le citron. Récupérer son jus.
■ Ecraser les graines de cardamone. Les déposer dans une casserole. Ajouter le jus de citron et l'eau. Faire réduire aux trois quarts. Ajouter le beurre. Porter à ébullition. Mixer et filtrer. Vérifier l'assaisonnement.

Préparer les Saint-Jacques. Faire fondre 30 g de beurre. Saisir rapidement les Saint-Jacques sur chaque côté **(3)**. Assaisonner. Faire fondre 20 g de beurre. Y rouler les asperges pour leur donner du brillant.
■ Dresser les noix sur assiette chaude. Ajouter les asperges. Déposer une cuillerée de sauce.

1

2

3

bien-être

Le veau est une viande diététique. Le filet est une pièce peu grasse. Sa tendreté en fait le complice des petits légumes nouveaux.

astuce culinaire

Ayez l'œil. La qualité de la viande de veau se reconnaît par sa blancheur. Elle garantit que l'animal a été nourri au lait ou d'aliments d'allaitement à base de produits laitiers.

Mignon de veau, jus d'oignons fumé

600 g de filet de veau, 50 g de beurre clarifié, 12 oignons grelots, 2 tranches de poitrine fumée, 30 cl de fond de veau, 15 cl de vin blanc, 4 gousses d'ail, 20 g de beurre demi-sel
légumes : 4 carottes fanes, 8 oignons nouveaux, 200 g de fèves, 250 g de pommes de terre primeurs, 40 g de beurre salé, 2 cuil. à soupe de persil plat, gros sel, sel fin, poivre

Préparer les légumes. Eplucher, laver les oignons, les carottes, les gousses d'ail. Tailler les carottes en biseau **(1)**.
■ Ecosser les fèves. Laver, effeuiller le persil. Plonger les pommes de terre dans l'eau froide. Porter à ébullition 10 min. Les égoutter. Les rafraîchir. Finir la cuisson dans le beurre. Cuire séparément les légumes à l'eau bouillante salée quelques minutes. 10 min pour les carottes ; 3 min pour les fèves ; 10 min pour les oignons nouveaux. Egoutter. Rafraîchir dans l'eau glacée. Egoutter et réserver.

Préparer la viande. Retirer la couenne de la poitrine. La détailler en lardons. Tailler le filet en tranches de 2 cm d'épaisseur **(2)**.
■ Démarrer la cuisson au beurre clarifié, saisir sur les deux faces. Assaisonner.
■ Ajouter les oignons, la poitrine fumée, l'ail. Laisser colorer. Déglacer avec le vin blanc. Réduire d'un quart. Verser le fond de veau. Laisser réduire jusqu'à obtenir un jus onctueux. Incorporer le beurre progressivement. Vérifier l'assaisonnement.
■ Cuire selon l'épaisseur (le veau en principe se sert rosé). Emballer dans du papier d'aluminium et mettre à reposer sur une grille.
■ Dans une sauteuse, réchauffer à feu doux ou au four à 150 °C (th. 5) les légumes **(3)**. Parsemer de noisettes de beurre, de persil haché. Ajouter un fond d'eau. Assaisonner.
■ Dresser sur assiette chaude, les mignons de veau, les légumes et napper de jus fumé.

Côtes du Rhône-Villages-Cairanne

1

2

3

le saviez-vous ?

Le Kari-Gosse est un mélange d'épices que l'on doit à un apothicaire lorientais à qui il a donné son nom. Parfum unique et subtil fait d'un mélange de piment rouge, coriandre, cumin, curcuma, gingembre, girofle, cardamome, cannelle, fenugrec fabriqué à Auray (56). On en trouve vendu en petits flacons dans les pharmacies dépositaires.

Far aux oignons et sa poêlée de fruits de mer

marinière : 750 g de moules, 750 g de coques, 30 g de beurre demi-sel, 5 cl de vin blanc sec, 2 échalotes, poivre
far : 200 g d'oignons, 50 cl de vin blanc sec, 250 g de farine de froment, 1 œuf, 12,5 cl de lait, 25 g de beurre demi-sel, sel, poivre
sauce : 20 cl de fumet de poisson, 1 verre de jus des coquillages, 10 cl de crème fraîche, 40 g de beurre doux, 1 pincée de Kari-Gosse

Préparer le far. Peler et émincer les oignons. Faire cuire à feu doux dans le beurre et le vin blanc 3 min environ **(1)**. Préchauffer le four à 200 °C (th. 8). Mélanger la farine et l'œuf. Ajouter progressivement le lait froid **(2)**. Assaisonner. Dans des moules à tartelette préalablement beurrés, disposer les oignons refroidis sur 5 mm d'épaisseur. Emplir aux deux tiers avec la pâte à far **(3)**. Cuire 20 min.

Préparer la marinière. Bien gratter et laver les coquillages. Faire dégorger les coques 1 h dans l'eau salée. Les ouvrir à la marinière. Décoquiller les moules et les coques. Conserver la valeur d'un verre de jus de cuisson filtré.

Préparer la sauce. Mélanger le fumet de poisson et le jus de coquillages. Faire réduire de moitié. Ajouter le Kari-Gosse. Incorporer la crème fraîche. Réduire jusqu'à obtenir une sauce nappante. En dehors du feu, ajouter le beurre en petits morceaux en remuant avec un fouet. Vérifier l'assaisonnement. Réchauffer les fars à four moyen à 150 °C (th. 5). Sauter les coquillages dans le beurre.
■ Démouler les fars sur une assiette. Répartir les coquillages. Napper de sauce.

côté cave
Chablis

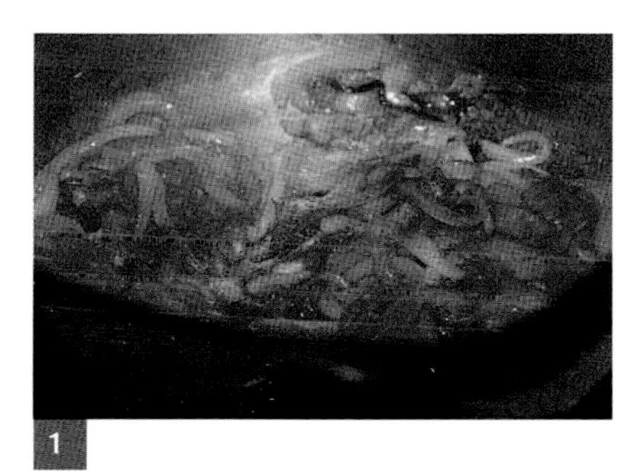

1

2

3

Poule coucou de Rennes au sirop de pommeau

1 poule coucou de Rennes de 1,6 kg environ avec ses abatis, 1 oignon, 1 carotte, 2 gousses d'ail, 2 cuil. à soupe de miel d'acacia, 3 à 4 cl de pommeau, 30 g de beurre, sel, poivre
pressé de pommes : 6 pommes reinettes, 50 g de beurre, 2 cl d'eau-de-vie de cidre, sel, poivre

■ Retirer les abattis. Ficeler la volaille.
■ Eplucher, laver les légumes. Tailler la carotte en petits morceaux. Emincer finement l'oignon. Laisser l'ail en chemise.
■ Faire fondre le miel. Ajouter le pommeau. Laisser légèrement réduire. A l'aide d'un pinceau, badigeonner la volaille de sirop au pommeau **(1)**. Assaisonner.
■ Préchauffer le four à 150 °C (th. 5). Dans un plat à four, disposer un lit d'oignons et carottes. Ajouter les abattis et les gousses d'ail en chemise. Poser la volaille **(2)**. Mettre au four. Cuire environ 1 h 30 à 1 h 45 en retournant et arrosant régulièrement la volaille.

Préparer le pressé de pommes. Laver les pommes. Les évider. Les couper en six. Faire sauter les quartiers de pommes dans le beurre fondu. Assaisonner. Sur une plaque à four, poser quatre cercles inox. Y superposer les quartiers de pommes. Bien les tasser **(3)**.
■ Finir la cuisson au four à 180 °C (th. 6) pendant 15 à 20 min.
■ A la fin de la cuisson, retirer la volaille du plat de cuisson. La réserver au chaud. Dégraisser le jus. Verser un peu d'eau et décoller les sucs en grattant à l'aide d'une spatule. Filtrer pour récupérer ce jus. Le verser dans une casserole. Réduire légèrement et incorporer progressivement le beurre.
■ Découper la volaille. Démouler les pressés de pommes. Servir accompagné d'un cordon de jus.

bien-être

La poule coucou est une volaille à chair ferme, au goût fin et léger de noisette préservé par la cuisson au four. Elle est proposée ici dans une version sucrée/salée qui révèle un mélange d'arômes subtils. Elle peut aussi se cuisiner en cocotte accompagnée de petits légumes printaniers.

astuce culinaire

Dégraisser, c'est retirer, à la cuillère, la graisse qui se forme à la surface d'une sauce.

Déglacer, c'est dissoudre, en les mouillant d'un liquide, les sucs caramélisés au fond d'un plat.

le saviez-vous ?

La poule coucou est une race rustique que l'on trouvait en abondance à la fin du XIXe siècle, surtout dans le pays de Rennes. En 1988, l'écomusée du pays de Rennes retrouve quelques animaux et organise, avec des éleveurs, la conservation de la race. Ainsi, peut-on depuis 1997, se procurer des volailles coucous sur les marchés bretons.

côté cave
Savennières rouge

1
2
3

Emincé de bœuf à la bière de blé noir

600 g de bœuf dans le rumsteck, 4 galettes de blé noir, 25 cl de bière brune au blé noir, 2 oignons, 2 carottes, 2 baies de genièvre, 2 branches de thym, 2 feuilles de laurier, 25 cl de fond de veau, 50 + 20 g de beurre, 50 cl de crème, sel, poivre
purée de chou-fleur : 1/2 chou-fleur, 25 cl de lait, 50 g de beurre demi-sel, quelques graines de sarrasin

La veille.

■ Emincer le bœuf. Déposer les morceaux dans un plat. Verser un verre de bière **(1)**. Couvrir avec un film alimentaire. Faire mariner au réfrigérateur.

Le jour même.

■ Emincer les oignons. Couper les carottes en dés. Les faire légèrement confire dans 25 g de beurre. Cuire 2 min **(2)**. Retirer les légumes. Les réserver.
■ Laver et couper le chou-fleur en bouquets. Le plonger 10 min à l'eau bouillante salée. Mixer en purée avec le lait. Assaisonner. Incorporer le beurre. Réserver au chaud au bain-marie.
■ Appliquer chaque galette sur les parois d'un verre. Passer quelques secondes au four à micro-ondes. Laisser sécher quelques instants. Réserver.
■ Dans la poêle, faire chauffer 25 g de beurre. Faire revenir la viande après l'avoir égouttée **(3)**. Ajouter la crème, le fond de veau, le thym, le laurier, le genièvre, 10 cl de bière. Faire réduire jusqu'à obtenir une sauce onctueuse. Filtrer. Ajouter les légumes juste pour les réchauffer. Vérifier l'assaisonnement.
■ Servir la viande et les légumes dans les tulipes de galette. Entourer de petits dômes de purée. Poser une graine de sarrasin. Napper d'un cordon de sauce.

bien-être

Si votre santé vous y contraint, vous pouvez prendre du lait demi-écrémé et de la crème à teneur réduite en matière grasse.

astuce culinaire

Vous pouvez réaliser la recette sans la galette de blé noir.

côté cave

Bière brune de blé noir

1

2

3

bien-être

Toute forme de garniture peut accompagner cette recette : pommes de terre vapeur, pâtes fraîches, riz, légumes.

astuce culinaire

Le carrelet doit se manger très frais, dès le retour de pêche, car il se dégrade très vite. L'idéal est de le préparer encore vivant.

le saviez-vous ?

Le carrelet est un poisson plat gris jaune maculé de taches orangées sur son dos. En Bretagne, on l'appelle souvent « plie ». Il vit sur des fonds sablonneux. Poisson carnivore, il se nourrit de vers et de mollusques.

Carrelet rôti

2 carrelets de 450 g, 2 cuil. à soupe d'huile d'olive, 4 tomates cocktail, 4 oignons nouveaux, 1 branche de thym frais, 1 cuil. à café de sucre, 30 + 20 g de beurre, fleur de sel, sel, poivre
jus : 40 g de beurre, 1 oignon, 1/2 carotte, 1 à 2 gousses d'ail, parures de veau (demander à votre boucher), têtes et queues des carrelets, 1 citron, 5 cl de vin blanc

■ Rincer les carrelets sous l'eau froide. Les ébarber **(1)**. Couper la tête et la queue. Les réserver pour le jus. Couper deux tronçons dans chaque poisson **(2)**.
■ Peler et émincer l'oignon. Peler et tailler la carotte en dés. Faire revenir dans 20 g de beurre, l'oignon, l'ail en chemise, la carotte pendant 5 min. Ajouter les parures de veau et de carrelet. Laisser colorer. Ajouter un zeste de citron. Déglacer avec le vin blanc. Laisser réduire jusqu'à ce que l'alcool se soit évaporé. Mouiller ce fond avec un peu d'eau. Laisser mijoter 20 min. Filtrer et réserver.

Glacer les oignons. Laver, retirer les racines et couper les tiges des oignons nouveaux. Les déposer dans une sauteuse. Ajouter le beurre, le sucre. Couvrir d'eau à mi-hauteur. Recouvrir d'une feuille de papier sulfurisé trouée en son milieu pour créer une cheminée. Cuire à feu très doux environ 10 min. Retirer le papier sulfurisé. Poursuivre la cuisson en remuant régulièrement jusqu'à ce que l'eau soit évaporée.

Confire les tomates. Préchauffer le four à 100 °C (th. 3). Déposer les tomates dans un plat. Verser une cuillerée d'huile d'olive. Parsemer de fleur de thym, de fleur de sel et de poivre. Cuire 10 à 15 min.

Cuire le poisson. Faire chauffer une cuillerée d'huile d'olive et 30 g de beurre. Faire revenir les tronçons de carrelets 5 min de chaque côté **(3)**.
■ Avant de servir, terminer le jus. Réchauffer à feu doux. Incorporer quelques morceaux de beurre froid en fouettant sans cesse pour obtenir une sauce onctueuse.
■ Disposer harmonieusement, le poisson, la tomate et l'oignon. Accompagner du jus.

Muscadet

1

2

3

Croustillant de framboise

160 g de framboises, 60 g de pistaches émondées
croustillants : 3 feuilles de brick, 20 g de sucre en poudre, 20 g de beurre demi-sel
faisselles : 3 faisselles individuelles, 1 gousse de vanille, 4 cuil. à soupe de sucre
caramel : 100 g de sucre, 2 cuil. à soupe d'eau, 5 cl de crème liquide

■ Ecraser grossièrement les pistaches. Réserver.

Préparer les croustillants. Préchauffer le four à 180 °C (th. 6). Découper douze disques de 7 cm de diamètre dans les feuilles de brick **(1)**. Les disposer sur une plaque à pâtisserie préalablement beurrée. Badigeonner sur les deux faces chaque disque de beurre fondu. Saupoudrer de sucre **(2)**. Passer au four 4 à 5 min. Elles doivent être juste dorées.

Préparer les faisselles. Egoutter les faisselles. Dans une assiette creuse, les écraser à la fourchette. Fendre la gousse de vanille dans le sens de la longueur. Racler les graines avec la pointe d'un couteau. Les ajouter à la faisselle. Incorporer le sucre en poudre **(3)**. Bien mélanger. Couvrir d'un film alimentaire. Réserver au frais.

Faire le caramel. Dans une casserole en inox, verser le sucre et l'eau. Cuire à feu moyen jusqu'à obtenir une couleur blond foncé. Laisser tiédir. Hors du feu, verser la crème. Mélanger. Porter à ébullition.

■ Sur une assiette, déposer un croustillant, une couche de faisselle, quelques framboises. Renouveler l'opération. Terminer par un disque de croustillant. Parsemer de pistaches. Accompagner de caramel.

bien-être

Vous pouvez alléger ce dessert en remplaçant le caramel par un coulis de framboises et les pistaches par des feuilles de menthe fraîche.

astuce culinaire

Si vous confectionnez un caramel classique (eau + sucre), quelques gouttes de jus de citron ajoutées au caramel en fin de cuisson éviteront qu'il ne se fige.

côté cave
Vin de framboises

1

2

3

Crêpes aux fruits en robe caramel au beurre salé

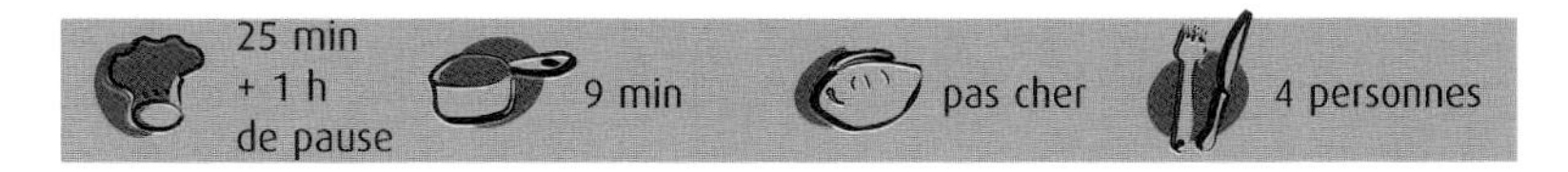

pâte à crêpes : 125 g de farine, 2 œufs, 30 g de sucre, 1 pincée de sel, 35 cl de lait, 30 + 10 g de beurre fondu, 1 cuil. à café de vanille liquide
fruits : 1 pomme elstar ou reinette, 2 bananes, 1 poire conférence, 1 citron, 20 g de beurre, 20 g de sucre
caramel : 100 g de sucre, 2 cuil. à soupe d'eau, 40 g de beurre demi-sel, 5 cl de crème liquide

■ Verser la farine dans un saladier. Former un puits. Ajouter les œufs, le sucre, le sel **(1)**. Délayer au fouet en incorporant progressivement le lait. Ajouter le beurre fondu et la vanille. Bien mélanger. Couvrir d'un film alimentaire. Réserver 1 h au réfrigérateur.
■ Eplucher la pomme, la poire, les bananes. Les citronner. Les couper en morceaux. Dans une poêle, faire fondre le beurre. Ajouter les fruits. Mélanger. Laisser colorer. **(2)**.
■ Dans une casserole en inox, verser le sucre et l'eau. Cuire à feu moyen pour obtenir un caramel blond foncé. Hors du feu, ajouter le beurre. Mélanger. Verser la crème. Porter à ébullition jusqu'à obtenir une consistance homogène et onctueuse.
■ Dans une poêle antiadhésive légèrement beurrée, verser une petite louche de pâte. L'étaler. Cuire jusqu'à ce qu'elle se décolle et retourner **(3)**. Déposer les fruits au cœur de chaque crêpe. Plier en portefeuille. Napper de caramel au beurre salé.
■ Réchauffer le caramel pour qu'il revienne à un état liquide. Hors du feu et en prenant garde aux projections, ajouter le beurre demi-sel coupé en morceaux. Verser la crème liquide. Mélanger. Porter à ébullition 1 à 2 min jusqu'à obtenir une consistance homogène et onctueuse. Laisser refroidir quelques minutes avant de napper les crêpes aux fruits.

bien-être

Subtilité, onctuosité, moelleux, voilà ce qui caractérise l'apport d'un caramel au beurre salé en terme de texture et de goût. Il ravira vos gourmandes papilles !

astuce culinaire

Pour bien réussir vos crêpes, il faut que la poêle soit assez chaude. Graissez-la au beurre demi-sel, bien sûr ! Il donnera à vos crêpes une jolie coloration dorée et, se fondant dans la pâte, leur apportera ce petit supplément d'âme typiquement breton.

côté **cave**
Poiré

1

2

3

bien-être

Servez un plat de poisson aux petits légumes avant de proposer ce dessert énergétique et nourrissant.

astuce culinaire

Pour arrêter la cuisson de la crème au pralin, la verser dans un saladier posé sur un lit de glace. Fouetter quelques instants.

le saviez-vous ?

Qu'on se le dise ! Les festivités du mois du marron sur le pays de Redon, c'est en octobre.

Fondant de marrons de Redon

2 marrons glacés, 1 cuil. à soupe de pralin, 50 g de chocolat noir, 5 cl de lait
fondant : 500 g de marrons cuits, 50 cl de lait entier, 100 g de sucre glace, 125 g de chocolat noir, 35 g de beurre, 3 feuilles de gélatine
crème au pralin : 50 cl de lait entier, 50 g de pralin, 100 g de sucre, 6 jaunes d'œufs

Préparer le fondant. Dans une casserole, déposer les marrons. Verser le lait. Réchauffer à feu doux pendant 15 à 20 min **(1)**. Retirer les marrons. Garder 5 cl de lait de cuisson. Mixer les marrons pour obtenir une purée. La verser dans un saladier. Ajouter le sucre glace. Bien mélanger.

■ Dans un saladier, casser le chocolat en morceaux. Ajouter le beurre. Remplir une grande casserole à moitié d'eau. Y déposer le saladier. Laisser fondre au bain-marie en remuant de temps en temps. En réserver une petite quantité pour le décor des assiettes.

■ Ramollir la gélatine dix minutes dans l'eau froide. La dissoudre dans les 5 cl de lait de cuisson. Réunir les deux préparations et mélanger vigoureusement **(2)**. Ajouter le lait de marrons gélifié. Mélanger.

■ Déposer quatre disques en inox sur une feuille de papier sulfurisé. Les remplir de fondant. Bien tasser **(3)**. Réserver 2 h au réfrigérateur.

Préparer la crème au pralin. Porter le lait à ébullition avec le pralin. Dans un saladier, déposer les jaunes d'œufs. Verser le sucre. Fouetter jusqu'à ce que le mélange blanchisse. Verser progressivement le lait au pralin sans cesser de remuer. Cuire la crème sur feu très doux en remuant constamment jusqu'à ce que la crème devienne onctueuse. Quand le pralin nappe la spatule, arrêter la cuisson. Filtrer.

■ Démouler les fondants. Ajouter la crème au pralin. Décorer avec des brisures de marrons glacés et de pralins.

côté cave
Muscat de Saint-Jean du Minervois

Pain perdu, sorbet au lait ribot

2 tranches de pain de campagne, 100 g de fraises, 100 g de framboises, 1 demi-citron, 30 g de sucre, 30 g de beurre
sorbet : 30 cl de lait ribot, 160 g de sucre, 1/2 gousse de vanille
lait de poule : 2 œufs, 50 g de sucre, 30 cl de lait, 1/2 gousse de vanille

Préparer le sorbet. Mélanger le lait ribot et le sucre. Fendre la gousse de vanille dans le sens de la longueur. Récupérer les graines en grattant avec la pointe d'un couteau. Les ajouter **(1)**. Verser dans la sorbetière. Turbiner. Réserver au frais.
■ Laver, équeuter les fraises. Les tailler en morceaux selon leur grosseur. Réserver quatre fraises et douze framboises pour le montage. Mixer le sucre, le jus de citron et le reste des framboises. Filtrer. Réserver au réfrigérateur.

Préparer le lait de poule. Casser les œufs. Les battre en omelette. Ajouter le sucre, la vanille, le lait.
■ Mélanger. Tremper les tranches de pain dans le lait de poule **(2)**.
■ Dans une poêle, faire fondre le beurre. Cuire le pain sur chaque face. Les tranches doivent être bien dorées **(3)**.
■ Couper les tranches de pain en mouillettes. Poser en alternance, une framboise, une demi-fraise. Recouvrir d'une mouillette.
■ Présenter à l'assiette, les mouillettes de pain perdu, le sorbet au lait ribot servi dans un petit verre et une cuillerée de coulis frais.

bien-être

Le lait ribot est un lait fermenté maigre à faible taux de matière grasse (0,3 %). Onctueux et doux, avec une petite pointe d'acidité, c'est un lait très digeste puisque la fermentation a fait disparaître le lactose, parfois source d'intolérances.

astuce culinaire

Si vous ne possédez pas de sorbetière, verser la préparation dans un récipient et mettre au congélateur. Gratter régulièrement à la fourchette de manière à obtenir un granité.

Ce dessert léger et rigolo qui s'inspire du service de l'œuf à la coque, réjouira petits et grands. A décliner en choisissant les fruits du marché en fonction des saisons.

côté cave

Lait ribot aromatisé au sirop de fraise

1
2
3

Poires pochées au beurre noisette

300 g de beurre demi-sel, 4 poires william, 1 feuille de brick, 4 cuil. à soupe de sucre semoule
crème glacée : 80 g de sucre, 1 cuil. à soupe d'eau, 30 cl de lait entier, 3 jaunes d'œufs, 40 g de beurre, 10 g de lait en poudre

La veille, préparer la crème glacée. Faire un caramel avec 70 g de sucre et d'eau. Porter le lait à ébullition. Stopper la cuisson en mouillant avec le lait. Hors du feu, laisser frémir 2 min. Dans une casserole, fondre le beurre en remuant au fouet. Arrêter quand il atteint une couleur noisette. Dans un saladier, déposer les œufs et 10 g de sucre. Fouetter jusqu'à ce que le mélange blanchisse. Ajouter, un à un, le lait caramélisé, le lait en poudre, le beurre noisette. Cuire sans cesser de remuer, jusqu'à ce que la crème nappe la cuillère.

Le lendemain, cuire les poires. Faire fondre le beurre jusqu'à obtenir une couleur noisette. Laisser refroidir. Eplucher les poires en gardant la queue. Les plonger dans le beurre noisette **(1)**. Remettre sur le feu. Les pocher lentement. Les arroser régulièrement **(2)**. Surveiller la cuisson. Elle est à point quand la pointe du couteau pénètre facilement dans la chair du fruit.

Préparer les corolles. Découper la feuille de brick en quatre disques de 12 cm de diamètre. Les badigeonner de beurre fondu de chaque côté **(3)**. Saupoudrer de sucre semoule. Préchauffer le four à 220 °C (th. 8). Déposer les disques dans des ramequins. Enfourner. Laisser caraméliser jusqu'à obtenir une belle couleur dorée. Laisser refroidir. Retirer les corolles.

- Placer la crème caramélisée dans la sorbetière. Turbiner.
- Au dernier moment, tiédir les corolles au four quelques minutes. Garnir de crème glacée. Placer les poires coupées en éventail.

astuce culinaire

Pour maîtriser la technique de cuisson au beurre noisette, plonger un thermomètre dans la casserole. La cuisson est atteinte à environ 125 °C.

Laisser reposer la crème caramélisée pendant une nuit au réfrigérateur. La matière grasse va fixer les arômes de caramel.

le saviez-vous ?

La poire william est une variété à chair fine et soyeuse. Elle est fondante, juteuse, sucrée et très parfumée. A l'achat, son épiderme doit être lisse, brillant et jaune à maturité. Vous la trouverez sur les marchés de toute la France d'août à octobre.

Poiré

1
2
3

Sablé breton façon retour des îles

sablés : 175 g de farine, 75 g de sucre, 175 g de beurre demi-sel, 3 g de sel
granité : 25 cl d'eau, 5 cl de rhum, 125 g de sucre, 1 citron vert, 1 gousse de vanille
crémeux de mangues : 1 mangue, 1/2 jus de citron vert, 60 g de sucre cassonade, 20 cl de crème liquide, 3 feuilles de gélatine

Préparer les sablés. Laisser le beurre deux heures à température ambiante. Préchauffer le four à 200 °C (th. 7). Couper le beurre en morceaux. Le travailler au batteur ou au fouet. Ajouter le sucre. Battre à nouveau. Incorporer la farine et le sel **(1)**. Façonner la pâte en forme de boudin. Emballer dans du film alimentaire. Laisser reposer 20 min au réfrigérateur. Découper le boudin de pâte en tronçons d'environ 1,5 cm d'épaisseur **(2)**. Disposer les disques en inox sur une feuille de papier sulfurisé. Déposer un morceau de pâte **(3)**. Enfourner. Cuire 12 à 15 min. Démouler les sablés. Les poser sur grille.

Préparer le crémeux de mangue. Faire ramollir les feuilles de gélatine dans l'eau froide. Eplucher la mangue. Prélever la pulpe. La mixer avec le sucre et le jus de citron vert pressé. Filtrer. Verser dans une casserole. Faire chauffer. Incorporer la gélatine égouttée. Mélanger. Laisser refroidir. Ajouter la crème. Mixer jusqu'à obtenir une consistance crémeuse. Réserver au frais.

Préparer le granité. Presser le citron. Prélever quelques petits zestes de citron. Fendre la gousse de vanille en deux. Récupérer les graines. Dans une casserole, mettre l'eau, les graines de vanille, le rhum et le citron vert. Porter à ébullition 10 min. Laisser refroidir. Verser le sirop dans un saladier. Mettre au congélateur. Gratter régulièrement à la fourchette pour obtenir un granité.
■ Présenter le granité dans des verres avec un petit zeste de citron. Poser un sablé, une cuillerée à soupe de crémeux de mangues et quelques tranches d'émincés de mangue.

bien-être

Deux alliances, sucré et salé. De vrais sablés bretons au goût de sel et de beurre et une petite touche créole, pour être dans l'ambiance des vacances au bord de la mer, des deux côtés de l'Atlantique.

astuce culinaire

Vous pouvez aussi réaliser le granité en passant la glace au blender. Ce petit dessert frais peut se décliner en jus de fruits, en infusion, en jus de légumes, avec des aromates ou encore des eaux parfumées, comme l'eau de fleur d'oranger. Vous le servirez alors en amuse-bouche ou en trou normand.

côté cave
Ti punch

Caramel fondant au beurre salé

caramel fondant : 100 g de sucre, 2 cuil. à soupe d'eau, 100 g de beurre à la fleur de sel de Guérande, 40 cl de crème liquide, 100 g de chocolat au lait
riz soufflé : 50 g de sucre, 50 g de riz soufflé (rice krispies), 1 cuil. à soupe d'eau

Préparer le caramel. Dans une casserole, verser le sucre et l'eau. Cuire jusqu'à obtenir un caramel blond. Hors du feu et en prenant garde aux projections, ajouter le beurre demi-sel coupé en morceaux et 10 cl de crème liquide **(1)**.
- Râper le chocolat au lait. Verser le caramel au beurre **(2)**. Laisser refroidir.
- Fouetter 30 cl de crème. L'incorporer au fondant caramel **(3)**. Répartir le caramel dans des verres ou des coupelles. Laisser au moins 2 à 3 h au réfrigérateur.

Préparer le riz soufflé. Dans une petite casserole, verser le sucre. Ajouter l'eau. Porter à ébullition jusqu'à ce que le sucre fondu forme de petites bulles. Déposer le riz soufflé dans la casserole. Mélanger hors du feu jusqu'à ce que le sucre cristallise et enveloppe tous les grains de riz. Remettre à caraméliser sur feu moyen. Laisser refroidir.
- Sortir les fondants au caramel. Parsemer de riz soufflé.

bien-être

Ce dessert riche en sucres rapides ne doit pas être servi le soir. Pour diminuer ces apports caloriques, présenter de petites quantités à vos convives.

astuce culinaire

Accompagnez ce dessert d'un coulis de pommes granny smith pour apporter de la fraîcheur et une pointe d'acidité.

côté cave
Malvoisie

1
2
3

Tarte fine aux pommes acidulées

pâte brisée : 250 g de farine, 125 g de beurre demi-sel, 12 cl d'eau
3 pommes granny smith, 60 g de beurre demi-sel, 60 g de sucre

La veille, préparer la pâte. Mélanger la farine avec le beurre froid coupé en petits morceaux jusqu'à ce que les grains de farine soient enrobés de beurre. Il doit rester des petits morceaux de beurre dans la farine. Incorporer l'eau en travaillant la pâte le plus rapidement possible, afin d'obtenir une boule. La laisser reposer au frais.

Le lendemain. Préchauffer le four à 180 °C (th. 6). Etaler la pâte au rouleau **(1)**. Poser sur un plat à tarte en laissant largement déborder la pâte du bord du moule pour former un bourrelet **(2)**. A la cuisson, Il empêchera le beurre de déborder.

■ Recouvrir le fond de pâte d'une feuille de papier sulfurisé. Déposer des grains de riz ou des lentilles qui empêcheront la pâte de gonfler. Pré cuire 10 à 15 min.

■ Eplucher les pommes. Les émincer en lamelles très fines. Disposer sur la tarte précuite en prenant soin d'incliner les tranches une fois dans un sens, une fois dans l'autre. Recouvrir de sucre et de beurre coupé en petits morceaux **(3)**.

■ Cuire au four 45 min. Servir tiède.

bien-être

Une part de tarte aux pommes apporte environ 400 cal. Pour ne pas se priver du plaisir de ce dessert, servez une soupe de légumes en plat principal, suivi d'un laitage.

astuce culinaire

Les tranches très fines se transforment en compote, ce qui fait tout le charme de cette exquise tarte. Vous pouvez ajouter du gingembre frais ou de la cannelle pour corser les saveurs.

le saviez-vous ?

La granny smith nous vient des Amériques. Sa chair est blanche, ferme, juteuse, acidulée et croquante. Elle convient parfaitement pour réaliser des compotes, des chutneys, des gelées.

côté cave
Coteaux de l'Aubance

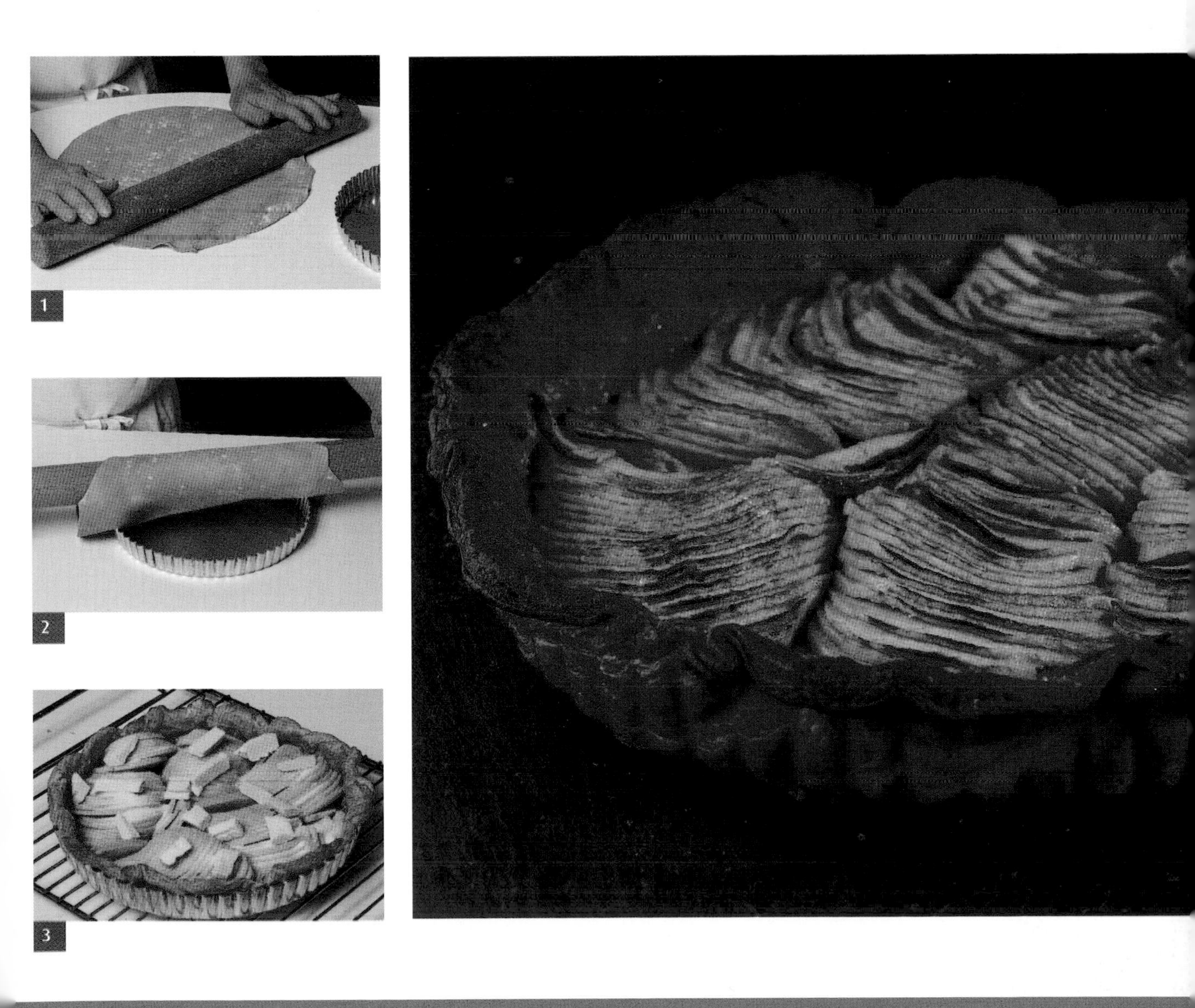

Mousse de fraises de Plougastel

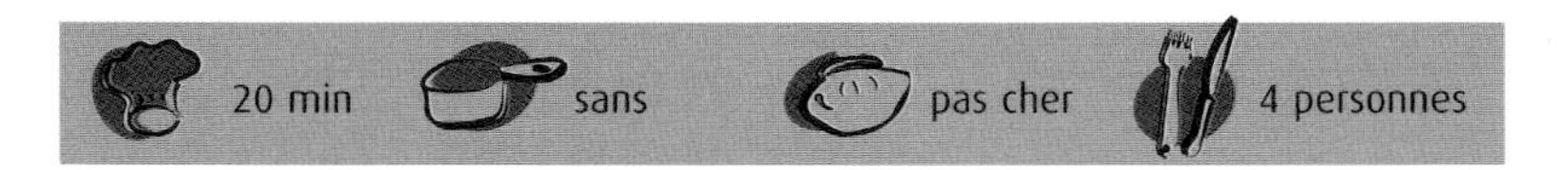

20 cl de crème liquide, 125 g de fraises de Plougastel, 50 g de sucre glace, 1 cuil. à soupe de jus de citron, 4 crêpes dentelles

■ Dans un grand saladier, verser la crème. Réserver au réfrigérateur.
■ Laver les fraises. Les équeuter. Les déposer dans un saladier. Ajouter le jus de citron et le sucre glace. Les écraser à la fourchette **(1)**. Laisser macérer 15 minutes au réfrigérateur.
■ Fouetter énergiquement la crème jusqu'à ce qu'elle épaississe **(2)**.
■ Ajouter les fraises dans la crème. Mélanger délicatement pour obtenir une mousse onctueuse et fine **(3)**.
■ Servir immédiatement dans des coupes. Accompagner de crêpes dentelles.

bien-être

Un dessert léger et frais vitaminé.

astuce culinaire

La fraise est un fruit fragile. Elle ne se conserve que 24 h au réfrigérateur et tourne très vite par grande chaleur. Ne pas les laisser dans leur barquette mais les étaler sur une assiette dès le retour du marché.

le saviez-vous ?

C'est à Amédée François Frézier, officier du génie maritime et cartographe, que l'on doit l'introduction de la fraise en Bretagne, en 1714. Il rapporta du Chili des plants de ce petit fruit, la blanche du Chili. Quelques années plus tard, il en planta au jardin botanique de Brest, puis à Plougastel. Rendons-lui un hommage éternel !

Cerdon du Bugey

Feuillantine caramélisée, beurre de chouchen

250 g de pâte feuilletée, 1 œuf battu, 10 g de beurre, 1 kg de pommes reines de reinette, 40 g de beurre, 40 g de sucre, 20 cl de chouchen, 20 cl de cidre, 50 g de sucre, 90 g de beurre

Préparer les feuillantines. Préchauffer le four à 180 °C (th. 6). Dérouler la pâte feuilletée. Tailler huit bandes d'environ 1 cm x 7 cm. Les déposer sur une plaque à pâtisserie légèrement beurrée. Les badigeonner à l'œuf battu **(1)**. Cuire 10 à 12 min jusqu'à obtenir une belle coloration. Réserver sur une grille.

Préparer les pommes. Eplucher et évider les pommes. Réserver les pelures. A l'aide d'une cuillère parisienne, prélever des billes de pommes. Les colorer dans une poêle avec 40 g de beurre et 40 g de sucre.

Préparer le jus au chouchen. Verser le chouchen et le cidre. Ajouter 50 g de sucre et les pelures de pommes. Faire réduire aux deux tiers **(2)**. Filtrer. Incorporer progressivement 90 g de beurre coupés en morceaux.

■ Dresser les feuillantines. Disposer des billes de pommes sur une bande. Recouvrir d'une seconde bande **(3)**. Au moment de servir, napper de jus de chouchen. Servir le complément de jus dans de petits ramequins individuels.

astuce culinaire

La cuillère parisienne est un ustensile dont la partie creuse est formée d'une petite demi-sphère ronde. Assez coupante, elle permet de faire des billes dans les légumes et les fruits. Elle se trouve très facilement dans le commerce.

le saviez-vous ?

Le chouchen, aussi appelé « hydromel » est une boisson obtenue à partir de la fermentation du miel dans du vin. C'est un alcool liquoreux (14° environ) qui se consomme bien frais et avec modération.

bien-être

Le fromage blanc présente par rapport à la matière sèche, un pourcentage de matière grasse qui varie en fonction du pourcentage d'apport en crème : 0 %, 20 %, 40 %. C'est une bonne source de calcium et de protéines. A noter, pour les personnes intolérantes, qu'il contient pas mal de lactose.

astuce culinaire

A faire le matin pour le soir ou la veille. Il n'en sera que meilleur.

Cheese cake breton

100 g de palets bretons, 10 g de beurre fondu, 125 g de fromage blanc frais battu, 2 œufs, 50 g de sucre semoule, 1 cuil. à café de vanille liquide, 25 cl de crème fraîche liquide, 4 feuilles de gélatine, 25 g de sucre semoule, 1 cuil. à soupe de cacao en poudre
sauce caramel : 100 g de sucre, 2 cuil. à soupe d'eau, 25 g de beurre demi-sel, 5 cl de crème liquide

■ Dans un bol mixeur, déposer les palets bretons coupés en morceaux, le beurre fondu et le sucre **(1)**. Mixer. Répartir le mélange dans chaque verre sans trop tasser. Mettre les verres au réfrigérateur.

Préparer la sauce caramel. Dans une casserole, verser le sucre et l'eau. Cuire à feu moyen pour obtenir un caramel blond. Hors du feu et en prenant garde aux projections, ajouter le beurre demi-sel coupé en morceaux. Verser la crème liquide. Mélanger.

■ Porter à ébullition jusqu'à obtenir une consistance homogène et onctueuse **(2)**. Laisser refroidir.

Préparer le fromage blanc. Mélanger au fouet le fromage blanc avec les jaunes d'œufs, le sucre et la vanille. Ajouter la sauce caramel et la crème gélifiée. Mixer à nouveau.

■ Ramollir la gélatine à l'eau froide. La dissoudre dans 2,5 cl de crème chaude.

■ Monter les blancs en neige bien fermes. Les incorporer délicatement à la crème de fromage blanc au caramel **(3)**.

■ Sortir les verres. Les remplir de fromage blanc au caramel. Les remettre au réfrigérateur 2 à 3 heures. Au moment de servir, saupoudrer de cacao.

Thé à la bergamote

1
2
3

Table des recettes

Entrées

Plats

Desserts

Création culinaire : Cercle Culinaire de Rennes et réseau des Cercles Culinaires Agréés. www.cercleculinaire.com
Recettes élaborées par : Thierry Bryone et Tugdual Debethune pour le compte du Cercle culinaire de Rennes
Coordination éditoriale - rédaction des textes : Frédérique Simoni-Fromentin pour le compte du Cercle culinaire de Rennes
Photographies - stylisme culinaire : Claude Herlédan et Cercle culinaire de Rennes

Le Cercle culinaire de Rennes remercie **Pyrex** France pour le prêt d'ustensiles de cuisine
et **Bazar Avenue** à Saint-Grégoire pour le prêt de vaisselle.

Editeur : Henri Bancaud - Assistante éditoriale : Isabelle Rousseau
Conception graphique : Nord Compo, Villeneuve d'Ascq - Mise en page : Studio graphique des Éditions Ouest-France
Impression : Imprimerie Pollina à Luçon (85) - L43413

 - ISBN 978 2 7373 4262.2 - Dépôt légal : mai 2007
N° d'éditeur : 5447.01.08.05.07 - Imprimé en France